Gijs en Lise
Bolmaaruit

Bart Demyttenaere en Wouter Kersbergen

Gijs en Lise Bolmaaruit

Manteau

© 2005 Uitgeverij Manteau / Standaard Uitgeverij
   en Bart Demyttenaere en Wouter Kersbergen
Standaard Uitgeverij nv, Belgiëlei 147a, B-2018 Antwerpen
www.manteau.be
info@manteau.be

8+

Illustraties: Gerd Stoop
Foto achterplat: Bart Vercammen
Zetwerk: 508 Grafische Produkties bv, Landgraaf

ISBN 90 223 1898 2
D/2005/0034/098
NUR 282

Inhoud

Lise Gijs tante M.

mama papa de chauffeur van de strooiwagen.

de bewoners van Bolmaaruit.

Over Gijs en Lise

Gijs en Lise zijn broer en zus. Ze kunnen het meestal goed met elkaar vinden. Ze hebben gewone ouders, gaan naar een heel gewone school en hebben een heleboel gewone vrienden en vriendinnen. Alleen hebben Gijs en Lise vaak buitengewoon ongewone ideeën. En dat zit blijkbaar in de familie…

1. Vallende sterren

'Hij is krom', zegt tante Margriet. 'Dat ziet toch het kleinste kind!'

Papa kijkt zijn tante boos aan. 'Het is nooit goed. De eerste was te klein, de tweede te kaal en deze is krom.'

Zuchtend trekt papa de spar uit de pot. 'Kom mee, kromme. Dan zet ik je buiten bij de kleine en de kale.'

Papa neemt de boom bij de top en sleept hem over het vloerkleed naar buiten.

'Naalden!' gilt tante M. 'Hij verliest nu al zijn naalden. Koop eindelijk eens een geschikte boom.'

Gijs krabt in zijn haar. 'Een boom is toch een boom',
sust hij.
Tante M. kijkt hem ondeugend over haar
brillenglazen aan. 'Nog wat ijs, Gijs?' giechelt ze.
Tante M. wacht niet op het antwoord. Ze schept
meteen drie bollen uit.

Papa baalt. De schop wil niet in de bevroren grond.
Hij loopt naar het tuinhuis en komt terug met een
houweel.
Mama komt thuis. Ze parkeert de auto. In het licht
van de koplampen ziet ze haar man bezig. Woest
hakt papa op het harde gazon in. Mama neemt de
boodschappentas uit de wagen en komt nieuwsgierig
kijken.
'Ben je op zoek
naar een schat,
schat?' grinnikt ze.
Papa wist het
zweet van zijn
voorhoofd.
'Grappig!' piept
hij.
Hij zwaait met
zijn vinger naar
de
woonkamer.

'Dat mens maakt me gek! Stapelgek. Dit is al de derde kerstboom. De eerste vond ze te klein, de tweede te kaal en deze te krom.'

Mama legt sussend haar hand op papa's schouder.

'Ik geef het op', blaast hij. 'De volgende mag jij kopen. En neem haar maar mee voor de vorm, de lengte, de breedte, de kleur en het aantal naalden per tak. Ik kap ermee!'

Mama trekt haar hand terug. Ze schudt het hoofd en lacht. 'Los jij het maar op. Het is jouw tante.'

Drie maanden geleden is tante Margriet bij Gijs en Lise komen wonen. Samen met Balthazar, haar roodwangschildpadje. Ze hadden zichzelf uitgenodigd.

Sindsdien is er veel veranderd.

Tantes favoriete stoel staat op twee meter van de televisie. Tantes ogen laten het soms afweten.

Het gele behangpapier in de keuken is weg. Tante kreeg er hoofdpijn van.

Mama's kruidenpotten zijn van de vensterbank verdwenen. In plaats daarvan staat er een aquarium, want Balthazar houdt van zonlicht.

In de keuken staat een gloednieuwe diepvrieskist, want tante M. houdt van roomijs. Veel roomijs.

Om zes uur 's ochtends staat de radio heel luid, want tante M. luistert dan naar het weerbericht.

Tussen zeven en acht kan niemand naar het toilet, want tante M. leest er haar strips van Kiekeboe. Niemand mag na het middagmaal de woonkamer binnen zonder kloppen, want tante Margriet doet dan een dutje.

Het eten smaakt anders dan vroeger. Tante M. mikt stiekem extra zout in de potten. 'Van zout word je oud', zegt ze als papa een vies gezicht trekt.

Na haar favoriete programma's zet tante M. de televisie uit. 'Tijd om gezellig te kaarten!' roept ze dan.

Regelmatig veranderen vazen, beeldjes, kadertjes en andere dingen van plaats. Tante houdt van afwisseling.

Elke zaterdagnacht vertelt tante M. lange en ingewikkelde griezelverhalen. Gijs en Lise vinden het heerlijk. Mama en papa niet. Ze kunnen er niet van slapen.

Kortom, tante Margriet is de baas in huis. En daar hebben mama en papa het steeds moeilijker mee.

De vierde spar is perfect. De hoek van de woonkamer is helemaal gevuld. Mama sleept de dozen met de kerstversiering naar binnen. Gijs en Lise hangen de lichtjes in de boom. Tante M. zit op de bank en geeft bevelen. Ze zwaait met haar wandelstok.

'Een beetje meer naar links, Lise.'

'Haal die knoop eruit, Gijs.'

Mama haalt heel voorzichtig de kerstballen uit de doos.

'Blauw?' krijst tante M. verontwaardigd. 'Wie hangt er blauwe ballen in de kerstboom? Blauw is geen feestkleur!'

Mama slikt. In haar hals verschijnen rode vlekken. Zonder een woord te zeggen stopt ze de ballen weg. Dan neemt ze de doos op, stapt ijzig kalm de woonkamer uit en gaat de trap op.

'Jammer dat het geen flikkerlichtjes zijn', bromt tante M. 'Flikkerlichtjes zijn veel mooier. In het rusthuis hadden we wel dertig…'

Tante M. kan haar zin niet afmaken. Gijs en Lise worden opgeschrikt door luid gerinkel. Ze lopen naar het raam. Op de stoep spatten tientallen blauwe kerstballen uit elkaar. Even later ploft een bruine kartonnen doos boven op de scherven.

'De ballen!' schreeuwt mama door het raam naar buiten.

Even is het stil. Dan veert tante M. op.

'Vallende sterren!' juicht ze. 'We mogen een wens doen!'

2. Sneeuw

Van de vierde spar die papa gisteren in de
woonkamer zette, is bijna niets meer te zien. De
takken hangen zwaar door. Mama en papa wilden
met de boom niets meer te maken hebben. Tante M.
moest zelf maar voor versiering zorgen. Dat heeft ze
gedaan. Met Gijs en Lise is ze naar de
kerstmarkt geweest. Ze hebben
zoveel gekocht als ze konden
dragen.

Met een klap zet tante M. de
lege spuitbus kunstsneeuw op
de salontafel. Ze doet een
stap achteruit en zet haar
handen in haar zij. Ze knikt
goedkeurend. 'Dat is een
kerstboom! Een echte!'

Gijs en Lise klappen in de handen. 'Prachtig!' roept
Lise. 'Niemand heeft zo'n mooie boom als wij!'
'Hij is wel heel wit voor een boom die altijd groen
blijft', zegt Gijs.

'Vind je?' vraagt tante. 'Dat is sneeuw. Veel sneeuw.
Een kleine sneeuwstorm. Een kerstlawine. Moet
kunnen.'

'Ik vind de roze ballen het mooist', zucht Lise. 'En de
paddenstoeltjes, de gouden engelenkopjes en de
kaboutersleetjes. Schattig.'

Gijs knipt het licht in de woonkamer uit. Dan stopt
hij de stekkers van de lichtsnoeren in de verdeel-
doos. Het resultaat is oogverblindend. Honderden
veelkleurige lampjes flikkeren aan en uit.

'Een discoboom!' juicht Gijs.

'Ik ga mijn pakjes halen', roept Lise. 'Die moeten
meteen onder onze boom!'

Tante M. trekt Gijs tegen zich aan en kijkt
bewonderend de woonkamer rond. 'Welkom in de
wondere witte
wereld', grinnikt
ze.

Gijs geeuwt en
kijkt op zijn
polshorloge. Het
is bijna zeven
uur 's ochtends.
Ze hebben de
hele nacht
doorgewerkt.

Voorzichtig legt Lise haar pakjes voor de grote witte kerstreus neer.

'Mama en papa komen eraan. Ik heb hun wekker horen aflopen.'

Gijs en Lise geven tante M. een ochtendzoen en haasten zich naar boven.

Tante M. blijft nog even op. In de keuken zet ze de radio aan. Ze hoort nog net een stuk van het weerbericht. 'Vanuit het oosten van het land. Vanaf morgen is er kans op sneeuw.' Tante M. glimlacht.

3. Soep met ballen

Het is stil aan tafel. Niemand zegt een woord. Zelfs
tante M. zwijgt. Gijs wrijft in zijn ogen. De kinderen
zijn net uit bed. Papa is al een uur thuis van zijn werk.
Lise geeuwt luid.
'Eet met je mond dicht', zegt papa nors. 'En ga
voortaan op tijd slapen. Dan kun je misschien voor
het avondeten uit je bed.'
Mama zet de soep op tafel.
'Lekker', smakt Gijs. 'Tomatensoep met balletjes.'
'Zonder balletjes', zegt mama droog. 'Ik heb geen tijd
gehad om er te maken.'
Als mama wil gaan zitten, stoot ze per ongeluk haar
hoofd tegen de luchter. Een tros besneeuwde
kerstballen valt recht in de soepkom. Rode spetters
vliegen in het rond.
Papa begint luid te vloeken. Mama kijkt verschrikt
naar haar blouse. Tante M. neemt haar bril van het
hoofd en likt de glazen schoon.
'Lekker zout', giechelt ze.
Gijs kijkt van de luchter naar de soepkom. 'Toch
balletjes in de soep', grijnst hij.

Papa veert op en gooit driftig zijn servet op zijn bord. 'Nu heb ik er genoeg van!' buldert hij. Dreigend kijkt hij naar tante M.

'Een gedrocht van een boom, tekeningen op de ruiten, namaaksneeuw op kasten en fotolijsten. Ook het televisiescherm zit onder de sneeuw, verdomme!'

'Het hele huis hangt vol rotzooi', bijt mama giftig.

'Zelfs het toilet hangt vol slingers. Het toilet! Wat een belachelijk idee!'

Tante M. zet haar bril op haar neus en kijkt mama vriendelijk aan. 'Kerstmis is overal', zegt ze.

Gijs heeft moeite om zijn lach in te houden. Lise proest het uit.

Mama en papa kijken elkaar even aan. Zonder een woord te zeggen nemen ze hun bord op en stappen naar de keuken. Papa slaat de deur met een luide klap dicht.

4. Stemmen

Papa zet de televisie uit.

'Hé!' protesteert Gijs. 'Wat doe je nu?'

Mama komt naast papa staan. Ze kruist de armen.

'Papa en ik hebben vergaderd. We hebben samen beslist dat het zo niet verder kan.'

Tante M. kijkt verwonderd naar Gijs en Lise.

'Zo is dat', zegt papa vastberaden. 'In dit huis wonen vijf mensen. Vijf verschillende mensen met nog meer verschillende meningen. Er zijn regels nodig. Leefregels!'

'En afspraken', vult mama aan. 'Papa en ik vinden dat er voortaan moet gestemd worden.'

'Stemmen?' vraagt Lise. 'Hoezo?'

Papa glimlacht.

'Ik geef een voorbeeld. Wie heeft er zin in een dessert?'

Vijf handen gaan spontaan de hoogte in.

'Vijf tegen nul', lacht papa. 'Dat is dus stemmen, Lise. De meerderheid wint. Dat is het eerlijkst. Als we het ergens niet mee eens zijn, moet er gestemd worden. Simpel.'

Gijs schraapt zijn keel en steekt zijn hand op.

'Wie vindt ook dat de televisie weer aan moet?'

De armen van tante M. en Lise gaan meteen omhoog.

'Drie-twee', grinnikt Gijs.

Hij drukt op de afstandsbediening en nestelt zich
tussen zijn tante en zijn zus. Tante M. geeft papa een
vette knipoog.

'Stemmen. Geweldig idee', fluistert ze.

Een dag later zitten mama en papa alleen aan de
keukentafel. Ze kijken bedrukt. Papa's briljante idee
valt helemaal niet mee. Gijs, Lise en tante M. hebben
voortdurend nieuwe voorstellen waarover gestemd
moet worden. Het is vermoeiend én vervelend.
Vooral omdat Gijs, Lise en tante M. altijd winnen.
Met drie tegen twee. Papa duwt mama een vel papier
onder de neus.

'Hier', zucht hij. 'De nieuwe huisregels. Het
zijn er vijf.'

Mama herkent het
handschrift van haar zoon.
Ze snuit haar neus en
begint te lezen.

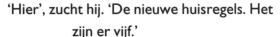

De nieuwe regels en afspraken.   20 december.
Gestemd door iedereen.
Uitslag: drie-twee
Goedgekeurd.
Opgeschreven door Gijs.

1. Elke zondagochtend moet papa bij de bakker
   chocoladebroodjes en croissants halen.
2. Op zaterdag moet mama één uur met Lise kapsalon
   spelen.
3. Een keer per week mag Balthazar in het grote bad
   zwemmen. Mama of papa maken dan zijn aquarium
   schoon. Zij mogen zelf kiezen wie dat doet.
4. Wie moe is, gaat slapen. Wie niet moe is, blijft op tot hij
   moe genoeg is.
6. Voortaan krijgt tante M. zakgeld. Evenveel als Gijs en
   Lise.

Papa zit met de handen in
het haar.
Gijs wandelt fluitend
de keuken binnen.
'Hoi', zegt hij.
'Hebben jullie even
tijd? Ik heb namelijk
nog een voorstel
waar we dringend
over moeten
stemmen.'

Tante M. en Lise komen arm in arm aangelopen.

'Luister', zegt Gijs. 'Mijn kamer is te klein. Papa's bureau te groot. Ik wil ruilen. Wie stemt er voor?'

Tante M. en Lise gaan onmiddellijk akkoord.

'Dat is dan ook weer geregeld', lacht Gijs. 'Ik ga meteen verhuizen.'

'Nooit van mijn leven!' brult papa. 'Jij blijft uit mijn bureau. Wat denk je wel?'

Gijs haalt de schouders op.

'Drie tegen twee. Het was jouw idee. Dus…'

'Niks van!' briest papa. 'Wat mij betreft ga je op zolder of in de kelder wonen. Of verhuis jij naar het tuinhuis. Maar je blijft uit mijn bureau!'

Er verschijnt een brede glimlach op Gijs' gezicht.

'Ook goed', zegt hij.

5. Verhuizing

Gijs' slaapkamer staat vol dozen en koffers.
'Vergeet je pyjama niet', zegt mama poeslief.
Gijs antwoordt niet. Hij kijkt naar zijn sporttas die vol speelgoed zit. Dan neemt hij een grote grijze vuilniszak en gaat voor de kleerkast staan. Lang hoeft hij niet na te denken. Alles moet mee.

Met een snelle beweging maakt hij het bovenste vak leeg: de stapel wintertruien en T-shirts glijdt in de zak. Daarna neemt Gijs zijn lievelingsbroeken en gooit ze boven op de rest.

'Ondergoed en sokken', grinnikt mama. 'Je vergeet het belangrijkste.'

Gijs haalt zijn schouders op en wijst naar de bananendoos naast de deur. Mama gluurt door de opening van de doos.

'Grapjas', giechelt ze. 'Een doos vol modelbouwvliegtuigen, slipjes en sokken.'

Gijs loopt de kamer uit. In de badkamer neemt hij

zijn beker, zijn tandenborstel en
een nieuwe tube tandpasta. Hij
neemt de pot met gel en zet zijn
haar in een piek naar boven.
Dan kijkt hij veel langer dan
gewoonlijk in de spiegel.
'Klaar voor de reis, Gijs?' grijnst hij naar zijn
spiegelbeeld.

Lise zit al de hele avond op haar kamer. Alleen. Ze
weet niet wat ze moet doen. Haar broer helpen met

inpakken of in de
woonkamer
doen alsof er
niets aan de
hand is.
Beneden hoort
ze de
achterdeur
dichtslaan. Ze
springt van haar
bed en drukt haar
neus tegen de
koude ruit. Ze ziet
Gijs een zware koffer
over het gazon
slepen. Ze steekt haar

hand op, maar haar broer ziet haar niet. Lise slikt.
Boos trekt ze de gordijnen dicht. Dan kruipt ze in
haar bed.

Papa zit al de hele avond in zijn bureau. Alleen. Hij
weet niet wat hij moet doen. Gijs helpen met
verhuizen of in de woonkamer doen alsof er niets
aan de hand is. Hij hoort de achterdeur dichtslaan.
Hij staat op en gaat voor het raam staan. Hij ziet zijn
zoon een zware koffer over het gazon slepen.
Papa schudt het hoofd.
'Koppige ezel', gromt hij.
Boos trekt hij de gordijnen dicht. Dan zet hij zijn
computer aan.

Tante M. zit al de hele avond in de woonkamer.
Alleen. Zij zit voor de tv, maar ze kijkt niet echt.
Haar gedachten gaan naar het tuinhuis. Ze hoort de
achterdeur dichtslaan. Met veel moeite
staat ze op en gaat voor het raam
staan. Ze ziet haar neefje een
zware koffer over het
gazon slepen.
'Ongelooflijk',
zucht ze
bewonderend. 'Hij
doet het echt.'

Mama zit al de hele avond op het toilet. Alleen. Ze
leest een boek. Ze hoort de achterdeur dichtslaan.
Ze staat op en gaat voor het raampje staan. Ze ziet
haar zoon een zware koffer over het gazon slepen.
Mama glimlacht.
Morgenvroeg staat hij hier terug, denkt ze.
Ze gaat zitten en leest verder.

In het tuinhuis knipt Gijs het licht aan. Hij zet zijn
koffer naast de grasmaaier.
Hij veegt de spinnenwebben van het raam en kijkt
naar het huis. Een sneeuwvlokje dwarrelt naar
beneden en blijft op de vensterbank liggen. Met een
ruk draait Gijs zich om.
Waar is mijn slee, denkt hij.

6. Bezoek

Gijs schrikt op. Er wordt op de deur van zijn tuinhuis
gebonsd. Heel luid.
'Wie daar?' roept hij bang.
'Ik. Doe open. Het is koud.'
Gijs doet de grendel van de deur.
In de deuropening staat Lise. In nachtjapon en op
pantoffels. Ze heeft haar donsdeken om haar
schouders geslagen. In haar rechterhand draagt ze
een knuffelbeer.
'Weet je hoe laat het
is?' gromt Gijs.
'Ja', bibbert Lise. 'Vier
uur. Ik kan niet slapen.
Mag ik nu eindelijk
binnen?'
Gijs wijst naar de oude
sofa naast de
houtkachel.
'Ga zitten', lacht hij. 'Er
is plaats genoeg
voor twee.'

Lises mond valt open van verbazing. 'Het is hier lekker warm', zegt ze.

Gijs knikt. 'En gezellig', vult hij aan.

Hij wijst naar de grote stapel houtblokken. 'Er is genoeg hout om de hele winter door te komen.'

Lise gaat zitten en knikt goedkeurend.

'In orde', lacht ze.

'In orde?' vraagt Gijs. 'Wat is er in orde?'

'Alles', knikt Lise. 'De inrichting, de temperatuur, de sfeer en het uitzicht op de tuin. Ik blijf.'

Ze legt haar knuffel in de kruiwagen.

Gijs schudt het hoofd.

'Hoezo?'

'Ik blijf hier. Ik kom bij jou wonen.'

'Weten mama en papa dat je hier bent?'

'Nog niet,' geeuwt ze, 'maar ik heb een
briefje geschreven.'
'Leuk', zegt Gijs.
'Waar moet ik slapen?' vraagt Lise.
Gijs springt op de oude sofa.
'Hier bij mij', grinnikt hij.
Lise kruipt dicht tegen haar broer aan.
'Slaap wel', fluistert Gijs.
Lise antwoordt niet. Ze valt meteen in slaap.

7. Choco

Papa eet met smaak zijn bord voor de tweede keer
leeg. 'Spek en eieren', zegt hij. 'Uitstekend idee van
je, schat.'
Mama leunt achterover en rekt zich uit.
'Zalig', kreunt ze.
'En zo rustig', glimlacht papa. 'Ik ben benieuwd hoe
lang ze het in het tuinhuis zullen volhouden.'
Mama kijkt naar de wandklok boven de koelkast.
'Nog hooguit een halfuurtje, denk ik. Lise kan niet
lang zonder eten. En Gijs ook niet. Hij is dol op spek
en eieren.'
Mama staat op en zet het keukenraam op een kier.
'Ik snap het!' zegt hij. 'Jaag de geur van spek en eieren
het tuinhuis in!'
Mama komt bij papa op schoot zitten. Ze geeft hem
een zoen op de mond. Papa streelt over haar rug.
Tante Margriet sloft de keuken binnen.
'Viespeuken', gromt ze.
Mama wipt van papa's schoot en schenkt tante een
kop koffie in.
'Goed geslapen, tante Margriet?' vraagt papa vleierig.

Tante M. antwoordt niet. Ze slurpt luid van haar koffie en kijkt star voor zich uit.

'Slappe koffie!' zegt ze bits.

'Gekleurd water. Het lijkt wel thee.'

Mama haalt de schouders op en glimlacht. Dan zet ze de radio aan.

'Het heeft vannacht gesneeuwd', zegt ze.

Tante M. smeert een dubbele laag choco op haar boterham.

'Slaapt Lise nog?' vraagt ze.

Papa wrijft over zijn ongeschoren kin.

'Misschien wel. Misschien ook niet.'

Met een geheimzinnige glimlach legt hij een briefje op tantes bord. Tante M. wordt bleek. Ongelovig kijkt ze van papa naar mama. Dan legt ze haar boterham neer. Ze neemt de zak met brood en trekt de chocopot naar zich toe. Zonder een woord te zeggen smeert ze de ene boterham na de andere. De stapel groeit snel.

'Flinke eetlust vandaag!' grapt mama.

> Ik kon niet slapen.
> Ben naar Gijs.
> Dada
>
> Lise

'Zoveel eet je anders nooit', grinnikt papa.

Tante M. kijkt papa ijskoud aan. 'Dat is ook niet voor mij. Iemand moet hier toch voor jullie kinderen zorgen!'

Papa kijkt ineens heel ernstig. 'Als ze honger hebben, moeten ze maar naar hier komen. Jij blijft hier en die boterhammen ook.'

Mama staat op en gaat achter haar man staan.

'We kunnen natuurlijk ook stemmen. Dat lijkt mij het eerlijkst. Wie vindt dat Gijs en Lise hier moeten komen eten, steekt nu zijn hand op.'

Mama en papa zwaaien uitdagend naar tante M.

'Twee-een!' giert papa.

Tante M. legt haar mes neer. Ze staat rustig op en veegt de kruimels van haar jurk. Dan tilt ze heel voorzichtig het aquarium met de waterschildpad op. 'Kom Balthazar', fluistert ze. 'Wij zijn hier niet meer welkom.'

8. Nog bezoek

'Gijs!'

Lise geeft haar broer een stomp. Gijs schrikt wakker.

'Wat is er?'

'Luister!' fluistert Lise. 'Er morrelt iemand aan onze deur.'

Gijs staat op en gluurt door een kier naar buiten.

'Tante M.!' roept hij verrast. 'Met Balthazar!'

Hij schuift de grendel opzij en zwaait de deur open.

'Het heeft gesneeuwd', bromt tante M. 'En ik heb al last van wintervoeten.'

'Kom binnen', zegt Lise.

Ze laat zich uit de sofa glijden en gooit een houtblok in de kachel.

Tante M. zet het aquarium naast de bak met wegwerpglas. Lise duwt tante zachtjes in de sofa.

'Jullie zijn lief', zucht tante. 'Veel liever dan die twee in de keuken.'

Lise gaat bij haar zitten.

'Hoe is het met mama en papa? Beginnen ze ons al te missen?'

Tante M. blaast.

'Missen? Ja hoor. Als kiespijn!'

'Ik heb honger', zegt Gijs. 'Ik zou wel tien boterhammen kunnen opeten.'

'Weet ik', snauwt tante M. 'Ik wilde jullie ontbijt brengen, maar ik mocht niet van hen. Ze hebben me weggestemd. Twee-een.'

'Lief dat je ons even komt opzoeken', zegt Gijs.

'Opzoeken? Niks van. Ik kom hier wonen. Voorgoed. Als jullie het goed vinden.'

'Te gek!' schatert Gijs.

Lise geeft tante een zoen op het voorhoofd.

'Er is wel een probleempje', zegt Gijs voorzichtig. 'We hebben geen bed voor jou.'

Tante M. wijst met haar kin in de richting van de kruiwagen.

'Dat is goed genoeg voor mij. Twee kussens erin en een deken erop. Meer heb ik niet nodig.'

Tante M. neemt haar handtas op schoot. Ze klikt de bruine tas open en begint erin te woelen. Gijs en Lise kijken elkaar vragend aan.

'Ach', zegt tante M. 'Zo kan het ook.'

Voor de ogen van Gijs en Lise kiepert ze de inhoud van haar handtas op de grond. Het regent speculaasjes, koffiekoekjes, chocolaatjes, melkpotjes en suikerklontjes. Gijs en Lise kijken geamuseerd toe.

'Jullie ontbijt', zegt tante M. 'Tast toe. Op mijn kamer heb ik nog.'

9. Strooptocht

Tante M. knipt de zaklantaarn aan. Ze schijnt op een groot wit blad. Daarna richt ze de lichtbundel in het keldergat. Ze ziet Lise nog net binnenglippen.
'Wees voorzichtig', roept ze Lise na. 'En stil zijn! Ze mogen vooral niets merken.'
'Ssst!' blaast Lise terug. 'Je maakt heel de buurt wakker!'
Op zijn kousenvoeten daalt Gijs de keldertrap af. In zijn handen houdt hij een grote doos vast. Hij zwiert de doos door het

keldergat naar buiten. De doos ploft
voor de voeten van tante M. in de
sneeuw.

'Wafels!' lacht tante M.

Ze doorloopt haar lijstje.

'Die stonden er niet op, maar als je er
nog vindt moet je ze ook
meebrengen! Goed zo!'

Gijs verdwijnt weer in het slapende
huis.

Intussen kamt Lise op de tast de
woonkamer uit. Gelukkig kent ze het
huis door en door. Uit de spelletjeskast
neemt ze Monopoly, Risk, Cluedo en
een set speelkaarten. Ze stopt alles in
de grote plastieken boodschappentas
van mama. Daarna verzamelt ze
alle kussens van de grote
bank in de woonkamer.

'Tante M. zal zacht slapen
vannacht', fluistert ze tegen de
spiegel in de gang.

Gijs sluipt op zijn tenen naar boven. Voor
de slaapkamerdeur van mama en papa
blijft hij even staan. De deur staat op een
kier. Gijs houdt zijn adem in. Hij hoort
papa snurken. Met een kattensprong

duikt hij voorbij de kamer. Heel voorzichtig stapt hij
naar de kamer van tante M. Het slot knarst een
beetje als hij de deur opendoet. Gijs wacht even. Er
gebeurt niets. Papa snurkt gewoon verder. Dan glipt
hij naar binnen en opent heel voorzichtig het raam.
'Laat maar komen', krast een stem beneden in de
sneeuw.
Achtereenvolgens vliegen twee nachtjaponnen, een
paar schoenen, een winterjas, een dikke trui, een
grasgroene muts en een zelfgebreide sjaal door de
nachtelijke lucht.
Gijs steekt zijn hoofd door het venster.
'Je vergeet het belangrijkste!' piept tante M.
'Oeps!' zegt Gijs.
Vliegensvlug grist hij de bruistabletten voor de
verzorging van tantes gebit en de speciale
nachtcrème tegen rimpels van het nachtkastje. De
twee potjes landen zacht op het verse sneeuwtapijt.
'Aangekomen!' kirt tante.
Uit het keldergat verschijnt het hoofd van Lise.

'Nog iets, tante?' vraagt ze.

Tante M. kijkt op haar lijst.

'Eten! Veel eten! En drinken! Zoveel als je kunt dragen! En vergeet het voer van Balthazar niet!'

Tien minuten later bekijken ze de buit.

'We hebben veel gevonden', zegt Gijs trots. 'Maar hoe krijgen we dat allemaal snel naar binnen? Hier zijn we uren mee bezig.'

'Geen probleem', grijnst tante M. 'Neem mijn bed maar. In tien keer moet het wel lukken.'

Terwijl Gijs de kruiwagen uit het tuinhuis rijdt, leggen Lise en tante M. alle spullen op een hoop. Ze zijn net voor het licht wordt klaar met de verhuis. Tante M. kruipt meteen in haar nieuwe bed. Gijs doet tantes schoenen uit en Lise steekt een extra kussen onder haar benen. Samen dekken ze tante toe.

'Jullie sijn sjatten', mompelt tante terwijl ze Gijs haar gebit aanreikt.

Gijs trekt zijn neus op.

'Wat moet ik hiermee?'

Tante wijst naar de gele gieter op de grond. 'Stop hem daaw maaw in. En doe ew een bwuistablet bij. Dan is ie mowgen weew fwis. Slaap lekkew.'

Terwijl Gijs de deur vergrendelt, knipt Lise het licht uit. Ze kruipen samen in bed. Met een grote zak paprikachips en een fles cola.

10. Spionnen

'Ik heb zalig geslapen', zegt papa. 'Zalig en lang!'
Mama giet een wolkje melk in haar kop koffie.
'Ik ook', zucht ze. 'Jaren geleden dat we nog eens
konden uitslapen.'
Ze kijkt op haar polshorloge.
'Het is al halftwee!' grinnikt ze. 'Doe jij snel de
rolluiken omhoog, schat? Anders denken
de buren dat we op reis zijn.'
Papa springt op en kruipt op mama's
schoot.
'Laat de rolluiken nog maar even
dicht', grijnst hij.
Hij duwt zijn neus in mama's
oor.
'Hou op!' giechelt mama.
'Daar krijg ik overal
kippenvel van.'
Maar papa luistert niet.

Lise rekt zich uit. Ze rilt.
De kachel in het tuinhuis

is al enkele uren uit. Het is ijskoud. Lise blaast
wolkjes. De kruiwagen beweegt. Tante M. trekt één
oog open. Ze snuift.

'Goedemorgen', lacht Lise. 'Heb je lekker geslapen,
tante?'

'Vewscwikkelijk!' tiert tante M. 'Ik heb gedwoomd
dat ik in een botsautootje op de kewmis zat. Ik sta
vol blauwe plekken. Kijk maaw…'

Tante M. tilt haar nachtjapon een stukje op en wijst
naar haar knieën. Lise schudt het hoofd.

Blauw van de kou, denkt ze.

Ze staat op en gooit een groot houtblok op het vuur.

'Gijs!' roept tante M. 'Opstaan, luiewik! Waaw heb je
mijn gebit vewstopt??'

Gijs schrikt wakker. 'Gebit?' kreunt hij.

Hij wijst naar de gieter naast de grasmaaier. Tante M.
steekt haar hand in de gieter.

'Vewdowie!' vloekt ze.

Ze stopt haar vingers in haar mond.

'Het watew in de gietew is
bevvowen!'

Lise proest het uit.

Gijs is meteen wakker.

'Balthazar!' gilt hij. 'Die arme
drommel is misschien ook
een ijsblokje geworden!'

In twee passen is hij bij het

aquarium. Er staat een dun laagje ijs op het water.
Met Balthazar is alles gelukkig in orde. Het
schildpadje zit op het midden van zijn eiland en kijkt
Gijs nieuwsgierig aan.
'Mijn Balthazaw is een stoewe pad. Ik ben fiew op
hem.'
Tante M. zet de gieter naast de kachel.
'Tot stwaks tandjes', lispelt ze.

Papa haalt de rolluiken op. Halverwege stopt hij.
'Kom eens kijken', zegt hij.
Mama buigt zich voorover en tuurt door het raam.
Ze trekt haar wenkbrauwen op.
'Ongelooflijk', fluistert ze. 'Ze staan gewoon te
dansen!'
Papa slaat zijn arm om mama's schouder.
'Laat ze maar doen', gnuift hij. 'Die staan hier sneller
terug dan je denkt.'
Mama legt haar hand tegen de ruit.

'Spionnen!' roept Gijs.
Lise komt bij het vensterraampje staan.
'Mama en papa', lacht ze. 'Ze kijken naar ons.'
Ze wil zwaaien, maar Gijs trekt haar hand naar
beneden.
'Niet doen', sist hij. 'Straks denken ze nog dat wij hen
missen.'

47

Tante M. duwt de kinderen zachtjes opzij en gaat vlak
voor het raampje staan. Ze kijkt mama en papa recht
in de ogen en lacht haar valse tanden bloot. Dan trekt
ze met één ruk het gordijntje dicht.
'Weg', schatert ze.

Mama en papa zetten verschrikt een stap achteruit.
Ze kijken elkaar onthutst aan.
'Dit vind ik niet leuk meer', piept mama.
Papa haalt de schouders op.
'Ach wat', blaast hij. 'Gijs en Lise komen wel terug.
Let op mijn woorden.'

11. Verboden toegang

Mama bladert in een tijdschrift. Ze overloopt de tv-programma's.

'Typisch', zucht ze. 'Op kerstavond is er nooit wat op televisie. Laten we een leuke film huren.'

Papa knikt enthousiast. 'Goed idee', zegt hij. 'Ik ga meteen naar de videotheek.'

Hij loopt naar de hal en doet zijn jas aan.

'Wacht even', zegt mama. 'Neem jij ook even het afval mee?'

'Was ik al van plan, schat.'
Papa neemt de grote zak met plastic afval en de doos met drankkartons onder de arm.

'Tot zo', zegt hij.

Voorzichtig stapt papa het gladde tuinpad op. De bevroren sneeuw blinkt in het maanlicht. Op weg naar het tuinhuis blijft papa plots staan.

'Wat is dat allemaal!' roept hij verbaasd.

De weg naar het tuinhuis wordt versperd door borden, touwen en stukken tuinslang.

'Betreden op eigen risico!' leest papa.
En: 'Streng verboden toegang!'
'Privé.'
'Ga weg!'
'Levensgevaar.'
'Pas op! gevaarlijke schildpad.'
'Lawinegevaar!'
'Laat ons met rust.'
Papa zet het afval voor de versperring neer. Met hangende schouders druipt hij af.

'Schandalig!' briest mama. 'Dat mens zet de kinderen tegen hun eigen ouders op!'
Papa pulkt aan zijn neus. 'Ik heb geen zin meer in een film.'
'Ik ook niet', zegt mama beteuterd. 'Ik heb zin in Gijs en Lise. Zonder tante M. Misschien zijn wij toch een heel klein beetje te ver gegaan.'
Papa kijkt mama boos aan.
'Wij? Te ver? Ik heb ze niet weggejaagd. Ze zijn zelf vertrokken.'
Mama kijkt verdrietig naar de grote opgetutte

kerstboom in de woonkamer. Ze steekt de stekkers van de lichtsnoeren in het stopcontact. Blauwe, gele, roze en oranje lampjes gaan beurtelings aan en uit.
Vrolijk kerstfeest, denkt ze.

In het tuinhuis is er weinig licht. Alleen het peertje aan het plafond gloeit. Lise schuift het speelbord weg.
'Ik heb geen zin meer in Monopoly', zeurt ze.
'Nog een spelletje Risk dan?' probeert tante M.
Gijs schudt het hoofd.
'Nee bedankt! Jij hebt vandaag al vier keer de hele wereld veroverd. Ik vind Risk niet leuk meer.'
'Ganzenbord? Kaarten? Dammen? Dobbelen? Vier op een rij?'
Lise wuift alle voorstellen weg.
'Geen spelletjes meer alsjeblieft! Ik wil een feest. Het is kerstavond. Iedereen viert feest behalve wij.'
Tante M. slaat haar arm om Lise. Ze rommelt in haar handtas.
'Hebbes!' juicht ze.
Ze zwaait met een enorme blauwe lolly voor Lises ogen.
'Voor jou alleen!'
Lise duwt de lolly opzij.
'Ik wil hier weg', pruilt ze. 'Ik wil terug naar mama en papa. Ik wil in mijn eigen bed slapen en mijn

cadeautjes onder de kerstboom openmaken.'

Tante M. kijkt naar Gijs. Gijs steekt zijn handen in zijn zakken.

'Ik begin me ook een beetje te vervelen', geeft hij toe.

'Dan zit er maar één ding op', beslist tante M. 'We moeten er even uit. Iedereen heeft af en toe vakantie nodig. Pak jullie spullen. We gaan.'

Lise kijkt haar oudtante vragend aan.

'Maar het is kerstavond', zegt ze. 'Waar moeten we naartoe?'

'Rustig', sust tante M. 'Laat dat maar aan mij over. Ik ken een plek waar we vanavond héééééél welkom zullen zijn. Vertrouw me maar.'

Lise zet grote ogen op.

'Gaan we terug naar huis dan?' vraagt ze hoopvol.

'Nee', lacht tante M. 'Nog niet. Doe jullie jas, muts en sjaal aan. Het is een heel eind stappen.'

Gijs neemt een balpen en een stukje papier.

'Ik schrijf een briefje voor mama en papa. Anders worden ze misschien ongerust.'

Op het tuinpad struikelt Gijs over een kartonnen doos.

'Drankkartons', bromt hij.

Lise wijst naar het grote raam van de woonkamer.

'De kerstboom', glimlacht ze. 'Mama en papa hebben de lichtjes aangestoken.'

'Pfff', blaast tante M. 'Waar wij naartoe gaan staat een veel mooiere boom.'

Ze biedt Gijs en Lise elk een arm aan.

'Kom', zegt ze. 'Inhaken. Dicht bijeen is warm.'

Gijs voelt aan zijn rugtas. Het plastic zakje met vers water en de schildpad klotst bij elke stap. Op het einde van de straat kijkt Lise nog even achterom.

12. Liften

Tante Margriet zet er flink de pas in. Ze loopt drie
meter voor Gijs en Lise uit. Het is heel stil op straat.
Iedereen zit binnen. Lise rilt. Ze voelt aan haar neus.
Straks valt hij eraf, denkt ze. Eerst mijn neus en dan
mijn oren. Alles is bevroren.
Gijs denkt niets. Het is te koud om te denken.
Tante M. stopt. Ze draait zich om en zet de handen in
de zij. Ze wacht tot de kinderen haar hebben
ingehaald.
'Zingen?' krijst ze. 'Van zingen word je warm
vanbinnen.'
Zonder op antwoord te
wachten, zet tante M. haar
keel open.
'Stille naaaacht.
Heilige naaaaaaacht.
Aaaaaaaalles slaapt…'
'Nu niet meer', mompelt
Gijs.
Hier en daar wordt een
gordijn opzijgeschoven.

Mensen kijken nieuwsgierig naar buiten. Een oude man tikt tegen zijn voorhoofd. Gijs en Lise duiken een beetje beschaamd dieper weg in hun jas. Tante M. trekt er zich niets van aan. Ze zwaait vriendelijk naar de mensen en begint nog luider te zingen.

Thuis in de woonkamer staat er ook muziek op. Terwijl mama de tafel dekt, schuift papa de gevulde kalkoen in de oven.
'Dek ik voor vijf personen, schat?' vraagt mama.
'Natuurlijk!' roept papa.
Mama slentert de keuken in. Ze leunt tegen het aanrecht en kijkt haar man bezorgd aan.
'Denk je dat ze komen eten?' vraagt ze.
'Zeker weten', zegt papa beslist. 'Gijs is dol op kalkoen en Lise op cadeautjes.'
Papa knipt met de vingers en zet geheimzinnig lachend de afzuigkap op volle kracht.
'Kijk eens door het raam', lacht hij.
Een warme luchtstroom verspreidt zich in de richting van het tuinhuis.
'Tien minuten', grijnst papa. 'De geur van gebraden kalkoen zal zijn werk wel doen! Binnen de tien minuten staan ze alledrie kwijlend aan de achterdeur! Wedden?'

Mama geeft papa een zoen op de wang.
'Wat slim van je. Ik ga in de woonkamer heel veel
kaarsjes aansteken. Daar houden Gijs en Lise van!'

'Zijn wij er bijna?' pruilt Lise. 'Ik heb het koud en ik
ben moe.'
'En ik heb honger', mort Gijs. 'Ik kan wel tien
kalkoenen op!'
Met haar mouw veegt tante M. de verse sneeuw van
een tuinmuurtje. Zuchtend gaat ze zitten.
'Het is verder dan ik dacht', geeft ze toe.
Een auto rijdt langzaam voorbij. Gijs krijgt
pretlichtjes in de ogen. Hij staat rechtop, gaat langs
de kant van de weg staan en doet zijn rechterwant
uit. Dan steekt hij zijn duim op.
'Liften!' roept hij. 'Snel, warm en goedkoop.'
Een kwartier later staat Gijs er nog. Hij blaast op zijn
hand.
Lise tikt haar broer op de schouder.
'Geef het op, Gijs. Er stopt toch niemand.'
Dan veert tante Margriet op. Ze duwt de kinderen
achter het tuinmuurtje.
'Bukken!' beveelt ze. 'Het is tijd voor de grote
middelen.'
In de verte komt een strooiwagen aangereden. Het
oranje zwaailicht flikkert.
Tante M. twijfelt geen seconde. Ze steekt haar

brilletje in haar handtas. Dan spreidt ze de armen.
Met een rauwe schreeuw laat ze zich achterover in
de sneeuw vallen.

'Tante!' gilt Lise verschrikt.

'Blijf waar je bent!' sist tante M. 'Dit trucje werkt
altijd.'

De chauffeur van de strooiwagen trapt bruusk op de
rem. Het oranje gevaarte slipt en komt dwars over
de weg tot stilstand. De chauffeur springt uit zijn
vrachtwagen en holt naar het lichaam van de oude
vrouw langs de weg.

'Mevrouw!' krijst hij. 'Gaat het?'

Het lichaam beweegt niet.

De man duikt op zijn knieën en legt zijn oor op de
borstkas van het vrouwtje. Tante M. knijpt de ogen
stijf dicht en houdt haar adem in.

De man aarzelt geen seconde. Hij haalt diep adem,
knijpt de neus van tante M. dicht en zet zijn lippen op
tantes mond. Dan blaast hij een krachtige stroom
lucht naar binnen.

Tante M. begint zwaar te hoesten. De chauffeur
springt een gat in de lucht.

'Ze leeft nog!' juicht hij.

Tante M. krabbelt overeind en veegt de sneeuw van
haar achterwerk.

'Instappen!' brult ze.

De man kijkt haar niet-begrijpend aan. Twee

kinderen springen lachend over het tuinmuurtje en klimmen in de cabine van de strooiwagen.
Tante M. trekt de chauffeur aan de mouw.
'Kom je mee? Jij mag rijden!'

13. Vermist

Papa prikt met zijn vork in een kalkoenenbout.
'Precies zoals het hoort', zegt hij trots. 'Niet te taai
en niet te droog. Ik ben een meesterkok.'
Mama nipt aan haar glas rode wijn.
'Precies zoals het hoort?' zegt ze schamper. 'Er is
vanavond niets zoals het hoort!'
Ze wijst naar de lege plaatsen aan tafel.
Papa zucht. Hij legt zijn vork heel langzaam naast zijn
bord.
'Ik weet het', zegt hij zacht.
Hij kijkt op zijn polshorloge. 'Halftien', zegt hij.
Hij slaat met zijn vuist op tafel.
'Ik ga ze halen. Het is genoeg
geweest!'
Mama houdt hem tegen.
'Wacht even', zegt ze.
'Ik ga mee.'
Ze neemt drie
pakjes van onder
de kerstboom
mee.

'Om het goed te maken.'
Papa knikt.
'Goed idee.'

De strooiwagen rijdt met een slakkengang door een
brede laan. De chauffeur kijkt op zijn polshorloge.
'Al halftien!' bromt hij.
'Niet zeuren', bijt tante M. 'We zijn er zo. Hier naar
rechts en dan de volgende straat links.'
De man schudt het hoofd.
Volgende keer laat ik haar in de sneeuw liggen, denkt
hij.
In de verte doemt een groot gebouw op.
'Hier stoppen!' beveelt tante M.
Gijs en Lise kijken hun tante vragend aan.
'Het laatste stuk doen we te voet', legt tante M. uit.
'Ik wil niet dat mijn vrienden ons uit
een oranje zoutkar zien stappen.'
De chauffeur haalt zijn
schouders op en trekt aan
de handrem. Gijs geeft de
man een hand.
'Bedankt voor de lift!' roept
hij bij het uitstappen.
'Vrolijk kerstfeest', lacht Lise.
Tante M. knipt haar handtas
open. 'Hier', zegt ze. 'Voor jou.

Bedankt voor de moeite.'
Beduusd kijkt de chauffeur naar de enorme blauwe lolly in zijn hand.
Tante M. laat zich uit de cabine glijden. Met een klap slaat ze het portier dicht. Dan slaat ze tweemaal met haar wandelstok op de deur.
'Vooruit. Rijden!'

Papa klopt tweemaal op de deur van het tuinhuis.
'Niemand thuis', grinnikt hij naar mama.
'Doe niet zo onnozel', bibbert ze. 'Het is te koud voor flauwe grapjes.'
Papa gluurt door het sleutelgat naar binnen.
'Ik zie niemand', zegt hij. 'Kijk jij eens door het raam?'
Mama duwt haar man opzij en trekt de deur met een ruk open. De drie pakjes vallen uit haar armen in de sneeuw. Mama wordt lijkbleek.
'Weg', fluistert ze tegen zichzelf. 'Ze zijn weg!'
Papa stapt het tuinhuis binnen. Op de tafel ligt een briefje. Terwijl hij de boodschap op het briefje leest, worden

Aan mama en papa,
Wij zijn even weg.
Met tante M.
Prettig kerstfeest.
Groetjes,
Gijs.

PS: Laat onze kerstcadeautjes maar liggen.
We maken ze wel open als we terug zijn.

zijn ogen steeds groter. Dan vloekt hij luid.

'Wat staat er?' vraagt mama angstig.

Papa duwt het briefje onder haar neus. Mama
herkent het handschrift van haar zoon.

Tante M. wijst met haar wandelstok naar een groot
verlicht uithangbord.

'Rusthuis Bolmaaruit', leest Gijs hardop.

Tante M. straalt.

'Eindelijk', glimlacht ze. 'Eindelijk zie ik mijn vrienden
terug.'

14. Kerstfeest

Tante M. opent de deur van de eetzaal op een kier.
Nieuwsgierig gluurt ze naar binnen. De eetzaal van
het rusthuis is prachtig versierd. De kerststukjes op
tafel hebben de bejaarden zelf gemaakt.
Bejaardenhelpsters lopen af en aan met dampende
schotels vlees, aardappelkroketten en groenten.

'Kom', fluistert tante Margriet.
Ze trekt Gijs en Lise mee
naar binnen.

Een stokoude dame
verslikt zich in haar
kroket.

'Margriet!' roept
ze als ze
eindelijk
uitgehoest is.
Dertig hoofden
draaien in de
richting van de
nieuwkomers.

'Margriet!' roepen ze in koor.

Enkele rolstoelen maken zich zoemend van de tafel los en rollen tot voor de voeten van het drietal.

'Wat een leuke verrassing!' zegt Tuur.

'Zijn dat je kinderen?' vraagt Mia.

'Blijven jullie eten?' knort Jos.

'En slapen?' vraagt Victor.

'Kom je voorgoed terug bij ons?' krast Irma.

'Naast mij is nog plaats!' joelt Gonda.

Ook het personeel van het rusthuis is blij tante M. weer te zien. Allemaal komen ze haar zoenen en knuffelen, tot tante M. er genoeg van heeft. Ze steekt haar handen in de lucht.

'Lieve schatten', kraait ze. 'Niet allemaal tegelijk. We

hebben net een sneeuwstorm overleefd.'
Gonda sleurt Gijs en Lise mee naar de feesttafel.
'Er is meer dan genoeg. En na het eten is er ook nog
dessert. Dat krijg je hier alleen als je je bord netjes
leeggegeten hebt. Kom maar mee.'
Het eten is lekker. Gijs, Lise en tante M. hebben
honger als een paard. Gonda zit tussen tante M. en
Gijs. Lise zit naast Jos, die een grote slab aanheeft.
'Meneer?' vraagt Lise voorzichtig. 'Mag ik u iets
vragen?'
'Natuurlijk', smakt Jos. 'Vragen kost niets.'
'Waarom draagt u een slab?'
De man draait zich naar Lise.
'Dat zie je toch! Ik kan niet goed mikken. Daarom
noemt iedereen mij Jos Smos. Grappig hé?'
Tante M. heeft geluk. Er is ijs als dessert. Vanille.
Haar lievelingsijs.

Na het eten begint het feest pas echt. De goochelshow van de directeur van het rusthuis heeft veel succes. Gijs en Lise vinden vooral het bingo heel spannend. Lise kaapt zelfs de hoofdprijs weg: een rieten mand met een handdoek, twee washandjes, shampoo en geurige minizeepjes. Ze is er heel blij mee. Daarna komt er een zanger optreden. Sommige bejaarden wiegen arm in arm op de muziek mee, maar de meesten hebben alleen maar oog voor de nieuwe gasten.

'Vind je het hier leuk?' kirt Irma.

Lise knikt beleefd.

'Jij bent al een grote jongen', zegt Victor tegen Gijs.

'Vroeger was ik ook zo jong. Maar dat is al heel lang geleden.'

Gijs glimlacht. Hij begrijpt waarom tante M. hier op bezoek wou komen. Iedereen is zo aardig.

Tante M. geeuwt.

'Wat vind je van de muziek?' vraagt ze aan Lise.

Lise antwoordt niet. Ze wijst lachend naar Roza,
Korneel, Willie en Pier die op hun stoel in slaap
gevallen zijn.

'Slaapliedjes!' roept tante M. net iets te luid. De
zanger heeft het gehoord. Hij stopt met zingen en
kijkt tante M. boos aan.

'Margriet heeft gelijk', roept Gonda. 'Ik wil iets leuks
doen!'

'Kaarten!' roept
Tuur.

'Dobbelen', kirt Mia.

'Nog kerststukken
maken', grinnikt
Victor.

'Knutselen!'
krast Irma.

'Eten!' joelt
Jos Smos.

'Verstoppertje spelen!' juicht Gijs.

Het wordt doodstil in de zaal. Iedereen kijkt Gijs met grote ogen aan.

Tante M. staat op en wijst naar de zanger.

'En jij bent hem! Begin maar te tellen. Tot driehonderd. Wie niet weg is, is gezien!'

15. Verstoppertje

De zanger kijkt tante Margriet beteuterd aan.

'Verstoppertje spelen? Maar daar word ik helemaal niet voor betaald!'

Tante M. rukt de microfoon uit de handen van de man.

'Tut tut', lacht ze. 'Zwijgen en tellen. Da's veel leuker dan zingen. Dit zijn de regels: iedereen mag zich overal in het rusthuis verstoppen. Buiten mag niet. Veel te koud en niet goed voor de reuma.'

'Maar ik ken jullie namen niet eens', pruttelt de zanger ongelukkig tegen.

'Niet nodig', zegt tante M. 'Je moet ons allemaal vangen en naar de eetzaal brengen. Leuk hé!'

De zanger haalt de schouders op en begint te tellen. 'Een. Twee. Drie...'

'Door de microfoon praten', zegt Gijs. 'Anders kunnen we je boven niet horen tellen!'

'En niet stiekem door je vingers gluren!' roept tante M. nog.

Gijs, Lise en al hun bejaarde vrienden maken zich uit de voeten.

Lise kruipt in de grote bezemkast in de gang op de eerste etage. Het is er donker. Voorzichtig nestelt ze zich tussen een omgekeerde emmer en een stapel dweilen. Ze trekt haar knieën op en maakt zich zo klein mogelijk. In de gang hoort ze een rolstoel voorbij snorren.

Irma, denkt Lise.

Dan hoort ze het geluid van de lift. De liftdeur schuift open. Stemmen en voetstappen kraken door elkaar.

'Victor en Gonda', grinnikt Lise. 'Waar gaan die zich verstoppen?'

De geluiden sterven weg en het wordt doodstil in de bezemkast.

Of toch niet.

Rechts achter haar hoort Lise een vreemd geluid. Het lijkt wel alsof er een muis aan iets zit te knabbelen. Lises ogen zoeken in de richting van het geluid, maar het is te donker om iets te kunnen zien.

'Wat moet ik doen?' vraagt ze zich bang af.

'Weglopen of blijven zitten?'

Ineens zijn de enge smakgeluidjes verdwenen. Dan klinkt een luide boer door de bezemkast. Lise gilt en springt op de emmer.

'Pardon', zegt iemand.

Lise herkent de stem.

'Jos Smos!' roept ze verrast. 'Zit jij hier ook?'

'Ja', zegt Jos. 'Ook zin in een kippenboutje? Ik heb er

nog gauw vijf van de tafel weggepakt. Koud zijn ze
ook lekker.'

'Tweeënzestig. Drieënzestig. Vierenzestig. Vijfenz...'
Gijs ligt onder het podium van de feestzaal. Door de
kieren van de houten vloer dwarrelen stofdeeltjes
naar beneden. Hij moet niezen, maar hij knijpt zijn
neus net op tijd dicht. De zanger heeft niets gemerkt.
Gijs kijkt om zich heen. In een hoek liggen drie
stukken versleten tapijt. Op handen en voeten kruipt
Gijs er naartoe. Hij gaat op zijn rug liggen en sluit zijn
ogen.

'Honderd negentien. Honderd twintig. Honderd
zesenzestig Honderd zevenenzestig...'
Tante M. heeft het hele rusthuis al twee keer
rondgewandeld. In de keuken is geen plaats meer vrij.
Al het personeel zit er achter, in of op de kasten. De
beste plaats in het salon is ingenomen door haar
beste vriendin. Gonda ligt onder een berg kussens op
de middelste sofa. De meeste bejaarden hebben zich
gewoon onder hun eigen bed verstopt. Tante M.
zucht. Ze vindt geen geschikte plek om zich te
verstoppen.
'Tweehonderd veertig. Tweehonderd vijfenveertig.
Tweehonderd zestig. Driehonderd! Ik kom. Al wie
niet weg is, is gezien!'

'Verdorie', puft tante M. 'De slaapliedjeszanger speelt vals!'

Ze kijkt schichtig om zich heen. Dan draait ze zich om en springt de eerste kamer die ze tegenkomt binnen. Haar oogjes beginnen te blinken. Ze stapt de kamer verder in. Het is er warm. Ze doet haar trui uit en hangt die aan een kapstok. Dan gaat ze op een stoeltje zitten en maakt de veters van haar schoenen los. Daarna trippelt ze naar de andere kant van de kamer en buigt zich over het bad. Ze draait de kraan open. Warm water stroomt in de kuip.

Zalig, denkt ze. Een heet bad zal me goed doen. Ik heb me in dagen niet meer gewassen. Tante schuifelt voorzichtig naar de deur en knipt ze op slot.

'Laat ze mij nu maar komen zoeken', grinnikt ze.

16. Ontvoerd

Papa steekt de autosleutel in het contact. Mama zit naast hem. Ze kijkt nors voor zich uit. De sfeer is gespannen.

'Hij wil niet starten', bromt papa.

Mama antwoordt niet. Ze kruist haar armen en steekt haar handen onder de oksels. Ze bibbert van de kou.

'De ruiten zijn bevroren', zegt papa. 'De ijskrabber ligt in het handschoenenkastje.'

Mama schudt haar hoofd en doet haar ogen dicht.

Na drie pogingen start de motor. Papa haalt opgelucht adem en zet de verwarming aan. Even kijkt hij mama boos aan. Dan duwt hij haar knieën opzij en grist de ijskrabber uit het kastje.

Tien minuten later rijdt papa voorzichtig de oprit af.

'Ver kunnen ze in ieder geval nog niet zijn', zegt papa. 'Waar beginnen we te zoeken?'

Mama haalt haar schouders op.

'Bij de eerste de beste bushalte natuurlijk. De kans is groot dat ze daar zitten te verkleumen.'

'Er rijden op kerstavond bijna geen bussen. Iedereen zit nu gezellig thuis.'

'Gezellig!' sneert mama. 'Hoe durf jij dat woord vandaag te gebruiken. Door jouw schuld zitten we nu zonder kinderen!'

Papa stopt de wagen in het midden van een verlaten straat. Hij draait zich langzaam naar mama.

'We mogen elkaar de schuld niet geven', sust hij. 'Laten we samen eerst de kinderen en tante Margriet terugvinden. Daarna is er tijd genoeg om ruzie te maken.'

Mama wrijft in haar ogen.

'Ik ben gewoon doodongerust. Het vriest dat het kraakt. Misschien zijn ze wel ontvoerd. Ik mag er niet aan denken.'

'Ontvoerd?' vraagt papa. 'Onmogelijk! Wie ontvoert nu tante M.?'

Mama klopt op het dashboard.

'Je snapt niet wat ik bedoel', jammert ze. 'Misschien heeft tante M. onze kinderen ontvoerd!'

'Tante M.?' brult papa. 'Uitgesloten! Het mens gedraagt zich af en toe een beetje vreemd, maar zo gek is ze heus niet! Er lag trouwens een briefje van Gijs in het tuinhuis.'

'Misschien heeft Gijs dat briefje moeten schrijven. Onder dwang. Je weet maar nooit.'

Papa wrijft mama geruststellend over de rug.

'Stil maar', zegt hij zacht. 'We vinden ze wel.'

'Je hebt gelijk', slikt ze. 'We kammen heel de buurt

uit. Rijd eerst
naar het
station. Je
weet maar
nooit.'

17. Hotel

Om twee uur 's nachts heeft de zanger eindelijk alle
bewoners gevonden. Naar Gijs heeft hij meer dan
een uur moeten zoeken. Gijs was onder het podium
in slaap gevallen.

De sfeer zit er goed in. De bewoners van het
rusthuis hebben de avond van hun leven. Elza, de
hoofdverpleegster, danst met Irma, terwijl Pier en
Tuur tikkertje spelen in hun rolstoel. Jos zit aan tafel.
Hij vertelt Gijs en Lise over het
frietkraam dat hij vroeger had.
Tante M. zit met blinkende oogjes
aan de andere kant van de
tafel. Ze heeft een
grote badhanddoek
als een tulband om
haar hoofd
gedraaid. Het
warme bad heeft
haar deugd
gedaan. Ze ziet er
tien jaar jonger uit.

Als de muziek stopt, neemt hoofdverpleegster Elza
de microfoon.

'Lieve mensen,' zegt ze zacht, 'er is een tijd van
komen en een tijd van gaan. Ik vrees dat het nu tijd is
om te gaan slapen. We zijn allemaal moe en morgen
komt er veel bezoek. Dan is het Kerstmis. We gaan
de lichten uitdoen. Het is slaaptijd.'

'Nu al?' zeurt Victor. 'Ik ben nog helemaal niet moe!'
De verpleegster doet of ze hem niet hoort en haalt
de jassen van Gijs, Lise en tante M.

'Komen jullie afscheid nemen van Margriet en de
kinderen?' vraagt ze.

Er wordt gekust, geknuffeld, gestreeld en gezegd dat
ze nog heel vaak moeten terugkomen. Tijdens de
drukte van het afscheid neemt Gijs Jos even apart. Hij
zet zijn hand tegen het grote harige oor van Jos en
fluistert iets. Een brede glimlach verschijnt op Jos'
gezicht.

'Doen we!' zegt hij. Dan geeft hij Gijs een vette
knipoog.

Iedereen zwaait
de bezoekers uit
als ze de nacht
instappen. Daarna
gaan de lichten in
Rusthuis Bolmaaruit
een na een uit. Gijs,

Lise en tante Margriet worden opgeslorpt door de
duisternis.
'Moeten we nu dat hele eind terug?' vraagt Lise.
Tante M. knikt.
Gijs neemt hen bij de hand en leidt hen over het
grasperk naar de andere kant van Bolmaaruit.
'Wat ben je van plan?' vraagt tante Margriet.
'Is dit een kortere weg?' vraagt Lise hoopvol.
'Vertrouw me', zegt Gijs geheimzinnig.
Even later klopt hij op de ruit van een kamer. Meteen
wordt het gordijn opzijgeschoven. Een bekend
gezicht doet het raam open.
'Eindelijk. Ik dacht dat jullie nooit zouden komen.'
'Jos? Jos Smos!' kirt Lise. 'Ik begrijp er niets meer
van!'
De oude man glimlacht en doet het raam nog verder
open.
'Welkom in Hotel Jos Smos', schatert hij.

18. Kerstnacht

Gijs, Lise, tante Margriet en Jos zitten samen op het
grote bed. Ze hebben hun schoenen uitgedaan en
spelen een kaartspelletje. Om kwart voor drie wordt
er op de deur geklopt. Jos legt zijn vinger op de
lippen en sloft naar de deur. Hij kijkt door het oogje
in de deur naar de gang.
'Het is Irma!' zegt hij. 'Wat komt die zo laat nog
doen?'
Veel tijd om daarover na te denken krijgt Jos niet,
want de deur vliegt met een zwaai open. Jos wordt
tegen de muur aangedrukt. Irma kijkt verbaasd naar
het drietal op bed.
'Margriet!' krast ze. 'Dat is lang geleden! Kom je dan
toch terug bij ons wonen? En waar is Jos?'
'Hier!' kreunt Jos achter de deur.
Hij wrijft over zijn neus en doet de deur dicht.
'Kan het een beetje stiller, Irma. Straks staat de
verpleegster hier!'
'Elza?' kraait Irma. 'Die slaapt al lang.'
Jos neemt de doos met koekjes uit de kast.
'Zandkoekjes?' moppert Irma. 'Vies. Veel te droog. Ik

ga mijn doos halen.'

Jos haalt zijn schouders op.

Even later is Irma terug. Ze heeft niet alleen koekjes bij, maar ook Victor. En Gonda. En Tuur. En Mia.

'Hallo!' roepen ze in koor.

'Sssst!' blaast Jos. 'Pantoffels uit en stil zijn!'

De nieuwe bezoekers kruipen bij de anderen op het bed van Jos. Het bed zakt helemaal door.

'Gezellig', lacht Gijs.

'Neem nog maar een koekje', mompelt Gonda.

'Pak er ook een uit mijn doos', zegt Victor. 'In mijn kamer heb ik er nog.'

'Een pralientje?' stelt Mia voor.

Lise wrijft met haar handen over haar buik.

'Nee bedankt', zucht ze. 'Ik kan niet meer.'

'Echt niet?' probeert Mia nog.

Lise schudt het hoofd.

'Ik wil iets doen', zucht ze. 'Anders val ik in slaap.'

'Kaarten!' roept Tuur.

'Dobbelen', kirt Mia.

'Nog kerststukken maken', grinnikt Victor.

'Knutselen!' krast Irma.

'Eten!' joelt Jos Smos.

'Verstoppertje spelen!' juicht Gijs.

Lise gaat op het bed staan.

'Ik weet het!' zegt ze. 'Ik ga op reis en ik neem mee...'

'Op reis?' vraagt Jos.

'Mogen wij ook mee?' roepen Mia en Gonda.

'Nee', zegt Lise. 'Het is een spel. Een woordspel. Het is simpel, maar heel leuk. Je noemt iets dat je op reis wil meenemen en daarna moet de volgende dat onthouden en er iets nieuws bij verzinnen. Wie iets vergeet, valt af. De laatste die overblijft, is de winnaar.'

'Moeilijk', krast Irma. 'Jij mag beginnen.'

Lise denkt even na.

'Ik ga op reis en ik neem mee: mijn knuffelbeertje.'

Gijs gaat verder.

'Ik ga op reis en ik neem mee: mijn knuffelbeertje en een zaklamp.'

Jos knikt. Hij snapt het.

'Ik ga op reis en ik neem mee: mijn knuffelbeertje, mijn zaklamp en drie dikke hamburgers.'

Nu is het de beurt aan tante M.

'Ik ga op reis en ik neem mee: mijn knuffelbeertje, mijn zaklamp, drie dikke hamburgers en mijn leesbril.'

Irma zucht even en denkt diep na.

'Amai', zegt ze. 'Jullie nemen veel mee. Ik ga op reis en ik neem mee: mijn knuffelbeertje, mijn zaklamp, drie dikke hamburgers, mijn leesbril en mijn skipak.'

'Nu ik!' gibbert Gonda. 'Ik ga op reis en ik neem mee: mijn knuffelbeertje, mijn zaklamp, drie dikke hamburgers, mijn leesbril, mijn skipak en mijn gemakkelijke ligstoel.'

Victor blaast.

'Dat kan niet. Dat weegt veel te veel.'

'Hij heeft gelijk', piept Mia. 'Het moet in de koffer kunnen, anders telt het niet!'

'Het maakt niet uit', lacht Lise. 'Ga verder, Victor.'

'Ik ga op reis en ik neem mee: mijn knuffelbeertje, mijn zaklamp, drie dikke hamburgers, mijn leesbril, mijn skipak, mijn gemakkelijke ligstoel en mijn gestreepte onderbroeken.'

Iedereen proest het uit. Het bed van Jos kraakt vervaarlijk.

19. Foto's

Mama staart naar de twee grote foto's op haar
schoot.
'Ik wil ze wel aan iemand laten zien', zucht ze.
Papa blaast. 'Kan ik het helpen dat er vannacht geen
kat op straat is. Het is niet mijn schuld.'
'We gaan aanbellen', stelt mama voor. 'Bij elk huis
waar licht brandt. Op kerstavond doet iedereen toch
open, of niet?'
Papa haalt de schouders op.
'Kom', zegt hij. 'Ik parkeer de wagen en we houden
elke auto tegen.'
Mama knikt.

'Ook goed', zegt mama. 'Als we ze maar snel vinden.'
Mama en papa hebben geluk. In de verte komt een
wagen aangereden met op het dak een zwaailicht.
Papa gaat in het midden van de weg staan en steekt
zijn armen in de lucht. De chauffeur van de
strooiwagen trapt bruusk op de rem. Het oranje
gevaarte slipt en komt dwars over de weg tot
stilstand.
Briesend springt de chauffeur uit de cabine.
'Idioot! Gek! Wie gaat er nu midden in de nacht op
een spekgladde weg staan?'
'Dag meneer', zegt mama zacht. Ze stapt voorzichtig
op hem toe en laat de foto's van haar kinderen zien.
'De jongen heet Gijs en het meisje Lise.
Onze kinderen. We zijn ze kwijt.'
Uit zijn jaszak diept papa een
verkreukelde foto van
tante M. op.
'En die ook. Die zoeken
we ook.'
De chauffeur zet verschrikt
een pas achteruit.
'Ik had het kunnen
weten', fluistert de man.
'Jullie zijn al even gek als
dat oude mens en die
kinderen.'

Papa grijpt de man bij de arm.

'Heb je hen gezien? Waar? Wanneer?'

Mama wappert opgewonden met de schoolfoto's van haar kinderen. De man draait met de ogen en wijst over zijn schouder.

'Het rusthuis', bromt hij. 'Bolmaaruit. Daar heb ik ze afgeleverd. Ik moest wel.'

Mama vliegt de chauffeur dankbaar om de hals en geeft hem een zoen. Dan wijst ze geschrokken naar de blauwe lippen, de blauwe tanden en de blauwe tong van de man.

'U bent ziek!' roept ze. 'U moet meteen naar een dokter.'

De man tikt met een vinger tegen zijn voorhoofd.

'Vrolijk kerstfeest nog', zucht hij.

Hij draait zich om en klimt in de cabine van de strooiwagen.

20. Op reis

'Ik ga op reis en ik neem mee: mijn knuffelbeertje, mijn zaklamp, drie dikke hamburgers, mijn leesbril, mijn skipak, mijn gemakkelijke ligstoel, mijn gestreepte onderbroeken, een woordenboek, een prullenmand, een doos waspoeder, een bos rode rozen, de krant van vorige week, de gordijnen van de eetzaal, de klompen van Harry de tuinman, mijn pilletjes tegen hoofdpijn, de rolstoel van Tuur, een spaarlamp, vijftig kilo potgrond, een rol toiletpapier, een bus haarlak, mijn verzameling postzegels, de kortingsbonnen uit de weekkrant, mijn modelbouwvliegtuigje, een soeplepel, een vliegenmepper, de tekeningen van mijn kleinkinderen, een cd van onze slaapliedjeszanger, de foto van mijn overleden echtgenoot, mijn badparels, een schroevendraaier, een naaimachine, een keukenmixer, de hond van de buren, een dozijn eieren, twee frisse pintjes, een bolletjeszakdoek, de pet van Victor, de versleten pantoffels van Mia, de Eiffeltoren, een opblaasbaar zwembad, ons rusthuis, de dikke eik met de bank eronder en…'

Jos wist het zweet van zijn voorhoofd.
Iedereen kijkt hem gespannen
aan.
Hij haalt diep adem.
'…en Margriet natuurlijk!'
Iedereen proest het uit. Het bed van
Jos kraakt nog een keer. De laatste
keer. Daarna zakt het door de poten.
Gijs, Lise, tante M., Victor, Tuur,
Gonda, Mia, Irma en Jos duiken een
halve meter naar beneden.
'Jos!' krijst Irma opgewonden. 'Jos
Smos! Jij bent veel te dik
geworden. Dat komt
ervan als je zoveel
eet!'

Er wordt nog harder gelachen. De tranen stromen
over de wangen van tante Margriet.
Niemand hoort de hoofdverpleegster binnenkomen.
'Wel!' zegt Elza streng. 'Wat gebeurt hier allemaal?'
Het wordt heel stil. Niemand durft rond te kijken.
Irma steekt een blikken doos in de lucht.
'Zin een zandkoekje?' vraagt ze zo lief mogelijk.

21. Ongeluk

'Het was zalig', zegt Lise. 'Jammer dat Elza ons
wegstuurde.'
Tante M. en Gijs antwoorden niet. Onder hun
voeten kraakt de verse sneeuw.
'Ik ben moe', zegt Gijs. 'En ik heb het koud.'
Tante M. prikt met haar wandelstok gaatjes in de
sneeuwlaag.
'Nu moeten we dat hele eind terug', zeurt Lise.
'Ga jij weer liften?' vraagt Gijs aan tante M.
Tante M. knikt.
'Natuurlijk. Ik laat
me vallen voor
de eerste auto
die eraan komt.
Werkt altijd.'
Gijs wijst in de
verte.
'Koplampen!'
roept hij blij.
Lise springt vrolijk
op en neer.

'Mogen wij je omduwen, tante?'

'Niet nodig', zegt de vrouw beslist.

Tante M. steekt haar brilletje in haar handtas en spreidt de armen. Met een rauwe schreeuw laat ze zich achterover in de sneeuw vallen.

'Tante!' gilt Lise verschrikt.

'Blijf waar je bent!' sist tante M.

'Twee koplampen en een zwaailicht!' waarschuwt Gijs.

'Een blauw zwaailicht!' piept Lise.

Tante M. krabbelt zo snel ze kan overeind. Proestend slaat ze de sneeuw van haar gezicht. Gijs en Lise trekken haar mee achter een brede spar. Net op tijd. De politiewagen rijdt langzaam voorbij.

Een volgende auto laat niet lang op zich wachten.

'We hebben geluk!' kirt tante M. 'Het is druk.'

De oude dame duikt voorover in de sneeuw. De auto glijdt voorbij. De chauffeur kijkt niet eens op. Tante M. heft haar hoofd op en zwaait met haar vuist.

'Onmens!' roept ze. 'Een oude eenzame arme vrouw zomaar laten bevriezen! Wat een lef!'

Het duurt vijf minuten voor er weer een auto aankomt.

'Daar gaan we weer', foetert tante M.

Lise streelt over tantes rug.

'We zullen je helpen', glimlacht ze.

'Helpen?' moppert tante M. 'Hoe?'

Lise ploft op de grond neer.

'Komen jullie nog?' giechelt ze.

Gijs en tante M. geven elkaar een hand. Samen duiken ze naast Lise in de sneeuw.

De chauffeur van de grijze wagen trapt bruusk op de rem. De auto slipt en komt dwars over de weg tot stilstand. Een man en een vrouw springen uit de auto en hollen naar de drie lichamen langs de weg. Gijs en

Lise houden hun adem in. Tante M. knijpt in Gijs'
hand.

'Verongelukt!' gilt de vrouw.

'Nee!' brult de man. 'Dat mag niet! Bel een
ziekenwagen. Politie. Brandweer. Help!!!'

Gijs en Lise heffen tegelijkertijd het hoofd op.

'Mama?' vraagt Lise verbaasd.

'Papa?' schrikt Gijs.

'Niks te vroeg!' blaast tante M. 'Mijn neus bevriest.'

22. Kerstman

'Nog iemand een stukje kalkoen?' vraagt mama.

Gijs knikt.

'Dit is het lekkerste ontbijt ooit. Zijn er nog
kroketjes?'

Papa glimlacht en schenkt het glas van tante M. nog
eens vol.

'Ik ben blij dat we eindelijk allemaal samen aan tafel
zitten', zegt hij zacht.

Tante M. kijkt papa over de rand van haar bril
onderzoekend aan.

'Laten we maar gauw de cadeautjes openmaken', zegt
ze.

Lise legt haar bestek neer en holt naar de kerstboom.

'Ik eerst!' joelt ze. 'Ik ben de jongste.'

Op dat moment wordt er aangebeld.

Papa kijkt op zijn polshorloge.

'Zeven uur? Wie staat er nu al voor de deur?'

Gijs springt van zijn stoel. 'Ik ga wel', zegt hij.

Voorzichtig opent hij de voordeur op een kier.

Verbaasd kijkt hij naar de man met het rode pak en
de witte baard.

'De kerstman!' juicht Gijs. 'Laat ik hem binnen?'
Papa en mama kijken elkaar niet-begrijpend aan. Even
later zit de kerstman mee aan tafel.
'Nog een stukje kalkoen, meneer de kerstman?'
vraagt mama.
De kerstman knikt instemmend en likt zijn lippen.
'Graag', smakt hij.
Tante M. buigt zich voorover en kijkt de man diep in
de ogen. Er verschijnen lachrimpels rond haar ogen.
'Breng ook maar een slab mee', zegt ze tegen mama.
'Een grote. Ik denk dat ik die kerstman ken.'
De kerstman lacht luid en haakt zijn baard los.
'Jos!' roept Lise.
'Jos Smos!' schatert Gijs.

Jos glimlacht
breed en neemt
een groot pak uit
zijn bruine zak.
Hij geeft het
aan tante
Margriet.
'Opendoen!'
kirt mama.
Gehaast rukt
tante M. het rode
papier van het
pak. Dan kijkt ze

vertederd in de ogen van een klein
roodwangschildpadje.
'Balthazar', fluistert ze. 'Was ik je vergeten in
Bolmaaruit?'
Jos Smos knikt.
'Het beest heeft honger. En ik ook. Is er ook taart?'
Papa staat op en steekt zijn vinger in de lucht.
'Wie vindt dat Jos de kerstman een stuk taart heeft
verdiend, steekt nu zijn hand op.'
'Gaan we weer stemmen?' vraagt Lise.
Zes armen schieten omhoog.
'Zes tegen nul', lacht mama.

Ook verschenen in deze reeks

Gijs en Lise. *Thuis*
ISBN 90 7690 063 9
€ 9,95

Gijs en Lise. *Vakantie*
ISBN 90 7690 064 7
€ 9,95

Gijs en Lise. *Klasse!*
ISBN 90 7690 062 0
€ 9,95

Gijs en Lise. *Zakenreis*
ISBN 90 7690 026 4
€ 9,95

Gijs en Lise. *Beroemd*
ISBN 90 02 21566 5
€ 9,95

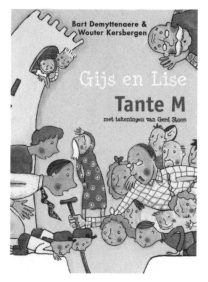

Gijs en Lise. *Tante M.*
ISBN 90 223 1887 7
€ 9,95